水あそび 外あそび 50

自由現代社

使える！保育のあそびネタ集

水あそび・外あそび50

もくじ	2
本書の内容／誌面構成について	5
プールで水あそび	6
園庭で水あそび	62
外あそび	78

もくじ

プールで水あそび

1	シャワーあそび	6
2	浮き輪列車	8
3	あひる	10
4	ワニさんで歩こう	12
5	ロンドン橋でプールあそび	14
6	流れるプール	16
7	水上ジャンケン	18
8	水中ジャンケン	19
9	プール忍者	20
10	ロープくぐり	22
11	水かけゲーム	24
12	バタ足水かけゲーム	25
13	ボール投げ	26
14	プールで大移動	28
15	水中宝探し	30

16	水中ペットボトル探し	32
17	プールメリーゴーランド	34
18	プールカルタとり	36
19	ボールとりゲーム	38
20	おたまじゃくしとカエル	40
21	金魚と金魚鉢	42
22	浮き輪おに	44
23	フープくぐり	46
24	ボール運びリレー	48
25	ワニさんリレー	50
26	ジャンケン列車	52
27	ビート板をゲット！	54
28	水運びリレー	56
29	浮き輪リレー	58
30	ボール送りリレー	60

園庭で水あそび

31	浮くか？ 沈むか？ ゲーム	62
32	的あて水鉄砲	64
33	紙箱リレー	66
34	水でお絵かき	68
35	氷でお絵かき	69
36	色水あそび	70
37	フィンガーペインティング	72
38	ボディペインティング	74
39	模様を消せ！	76

外あそび

- **40** どろんこあそび — 78
- **41** シャボン玉あそび — 80
- **42** ヘビなわとび — 82
- **43** ジャンケンなわとび — 83
- **44** くねくねジャンケン — 84
- **45** うずまきジャンケン — 85
- **46** さわらないでいこう！ — 86
- **47** ワニにつかまるな！ — 88
- **48** 鈴の鳴る方へ！ — 90
- **49** 暗号ジャンケン — 92
- **50** ケンケン玉とり競争 — 94

本書の内容

　子どもたちは、楽しいあそびが大好きです。楽しいと思うあそびなら、いつでもどこでも夢中になり、夢中であそぶ体験を通してさまざまなことを学び、成長していきます。
　本書では、夏の時期にプールや園庭でできる水あそびや、一年を通して園庭でできる外あそびにスポットをあて、「プールで水あそび」「園庭で水あそび」「外あそび」というテーマで、保育現場ですぐに使える50のあそびネタを厳選して紹介しています。バリエーション豊富なあそびネタを、ぜひ保育現場でお役立てください。
　なお、プールで水あそびをする際には、水質の衛生面の管理などに十分配慮し、子どもたち一人ひとりに目を配り、事故やけがなどがないように、くれぐれも注意しましょう。

誌面構成について

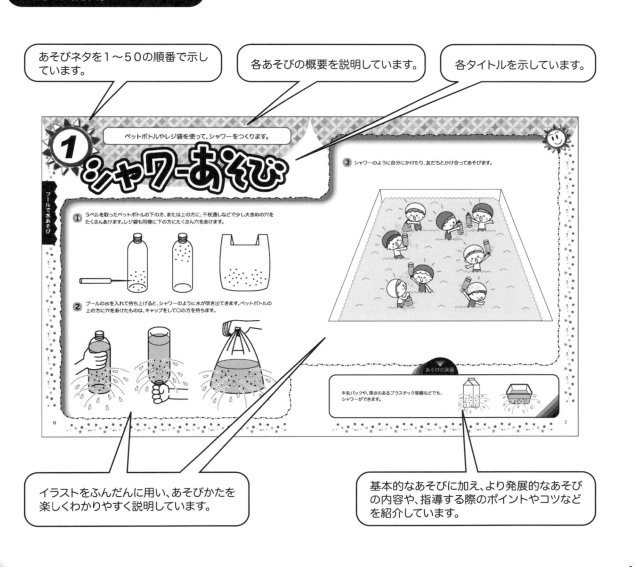

- あそびネタを1〜50の順番で示しています。
- 各あそびの概要を説明しています。
- 各タイトルを示しています。
- イラストをふんだんに用い、あそびかたを楽しくわかりやすく説明しています。
- 基本的なあそびに加え、より発展的なあそびの内容や、指導する際のポイントやコツなどを紹介しています。

1 シャワーあそび

ペットボトルやレジ袋を使って、シャワーをつくります。

プールで水あそび

① ラベルを取ったペットボトルの下の方、または上の方に、千枚通しなどで少し大きめの穴をたくさんあけます。レジ袋も同様に下の方にたくさん穴をあけます。

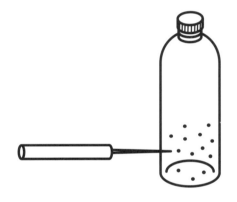
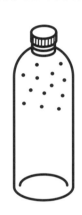

② プールの水を入れて持ち上げると、シャワーのように水が吹き出てきます。ペットボトルの上の方に穴をあけたものは、キャップをして口の方を持ちます。

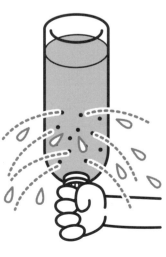

❸ シャワーのように自分にかけたり、友だちとかけ合ってあそびます。

あそびの発展

牛乳パックや、深さのあるプラスチック容器などでも、シャワーができます。

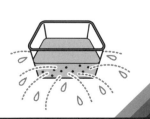

2 浮き輪列車

浮き輪を使って、列車のように長くつながってあそびます。

(1) ひとりひとつずつ浮き輪をつけてプールに入ります。
先頭の子どもを決め、他の子どもはその後ろに一列になるように前の子どもの浮き輪をつかみ、つながります。

(2) 先頭の子どもは、プールを自由に歩き、他の子どもたちは足を底につけず、浮いた状態で列車のようにつながったまま移動します。

❸ 慣れてきたら、弧を描くようにプールの中をグルグルまわります。

❹ しばらくすると水に一定方向の流れができるので、その頃合いを見計らって保育者が笛を吹きます。子どもたちは笛の合図とともに全員手を放し、浮き輪に浮いて、水の流れに身をまかせます。

プールの中を、あひるのように歩きます。

3 あひる

プールで水あそび

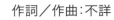

作詞／作曲：不詳

プールの中でしゃがんで両手を横に伸ばし、歌いながらリズムに合わせて、あひるのように歩きます。

④ ワニさんで歩こう

プールの中を、ワニのように歩きます。

作詞／作曲：井上明美

ワニさん で あるこう ワニさん で あるこう

のんびり あるこう みんな で あるこう

ワニさん で あるこう ワニさん で あるこう

のんびり あるこう どこまでも

プールの底に両手をついて足を伸ばし、歌いながらリズムに合わせてワニのように手を動かして進みます。

5 ロンドン橋でプールあそび

「♪ロンドン橋」を歌いながら、ふたり組で水の中をぐるぐるまわります。

♪ロンドン橋　　　訳詞：高田三九三／イギリス民謡

ロンドンばしがおちる　おちる　おちる
ロンドンばしがおちる　さあ　どう　しましょう

① プールに入り、ふたり一組になって向かい合って両手をつなぎ、「♪ロンドン橋」をうたいながら反時計まわりにぐるぐるまわります。

② 楽譜の4小節目の「♪さあどうしましょう」のところで、両手をつないだまましゃがみます。

③ 次は、しゃがんだ状態で「♪ロンドン橋」を歌いながらぐるぐるまわります。

④ 「♪さあどうしましょう」のところで立ち上がり、両手を放して他の人とふたり組になって、同様にあそびをくり返します。

アドバイス

ぐるぐるまわるときに、他のふたり組とぶつからないように、間隔をあけてまわるようにしましょう。

⑥ 流れるプール

プールの中に水の流れをつくり、流れるプールのようにあそびます。

① プールに入り、弧を描くようにグルグルみんなで走ります。

②　水に一定方向の流れができたら、保育者は笛を吹きます。
　　子どもたちは笛の合図とともに足を上げて浮かび、水の流れに身をまかせます。

あそびの発展

弧を描くように走る替わりに、全員で手をつないで、横に歩いてもいいでしょう。

7 水上ジャンケン

プールでジャンケンをして、負けたら水をかけられます。

プールで水あそび

① プールに入り、ふたり一組になって向かい合い、ジャンケンをします。

② 勝った人は、負けた人の体に水をかけます。

⑧ 水中ジャンケン

> 水中でジャンケンをして、負けたらくすぐられます。

① プールに入り、ふたり一組になって向かい合い、顔だけ水面から出して水中でジャンケンをします。

② 勝った人は、水中で負けた人の体をくすぐります。

⑨ プール忍者

忍者になったつもりで、プールの中を移動します。

プール忍者1

プールに入って肩まで沈み、忍者になったつもりでプールの壁をつたいながら静かに歩きます。

プール忍者2

プールに入り、プールサイドに両手でつかまり、両足の裏はプールの壁に押しつけて、壁にはりついた姿勢で横へ移動し、プールを一周します。

アドバイス

壁に押しつけた足がすべないように、足にしっかり力を入れるように促しましょう。

10 ロープくぐり

高さが少しずつ下がっていくロープの下をくぐり抜けます。

プールで水あそび

① プールの中で保育者ふたりが長いロープを持ちます。最初は子どもたちが立った状態で、頭がかすれるくらいの高さで持ちます。子どもたちは、ロープの下をくぐります。

② 少しずつロープの高さを下げ、子どもたちはしゃがんでロープの下をくぐります。

③ 最後はロープの高さを水面と同じ高さにし、子どもたちは水中をもぐってロープの下をくぐります。

11 水かけゲーム

2チームに分かれ、水をかけ合って競争します。

プールで水あそび

1. 子どもたちを2チームに分けます。チームが向かい合うようにプールの壁に背中をつけます。プールのまん中には、浮き輪をひとつ浮かべておきます。

2. 保育者の笛の合図で、各チームとも一斉に水をかけ合います。

3. 時間を決めて、保育者が再び笛を吹きます。その時点で、より多く水をかけたチーム（浮き輪までの距離が長いチーム）の勝ちです。

ピーッ

12 バタ足水かけゲーム

2チームに分かれ、バタ足で水をかけ合って競争します。

① 子どもたちを2チームに分けます。チームが背中合わせになるように、プールサイドに両手でつかまります。プールのまん中には、浮き輪をひとつ浮かべておきます。

② 保育者の笛の合図で、各チームとも一斉にバタ足で水をかけ合います。

③ 時間を決めて、保育者が再び笛を吹きます。その時点で、より多く水をかけたチーム（浮き輪までの距離が長いチーム）の勝ちです。

13 ボール投げ

プールでビーチボールを投げ合ってあそびます。

ボール投げ1

1. ふたり一組になり、一組でひとつビーチボールを用意します。
2. プールに入り、ふたりが向かい合ってボールを投げ合ってキャッチしてあそびます。慣れてきたら、ふたりの距離を少しずつ離していきます。

ボール投げ 2

① 子どもたちを2チームに分けます。プールを半分に分けるように保育者ふたりがまん中でロープを水面より高く持ちます。ビーチボールをひとつ用意します。

② ロープの左右にチームが分かれ、ロープより高くボールを投げ合い、キャッチしてあそびます。

③ 慣れてきたら、点数をつけ、ボールをキャッチできなかったら相手チームの得点とし、一定時間で点数を競います。

アドバイス

ボールをキャッチするときに、他の子どもとぶつからないように注意しましょう。

14 プールで大移動

みんなで棒につかまり、プールを大移動します。

プールで大移動1

① ものほしざおのような長い棒を用意し、保育者ふたりが両端を持ちます。子どもたちは両手で棒につかまります。

② 保育者は棒を持ったままプールの端から端まで移動し、子どもたちは棒につかまったままバタ足をします。

プールで大移動 2

① プールで大移動 1 と同様に保育者がふたりで棒を持ち、子どもたちは仰向けになるように、両手で下から棒を持ちます。

② 保育者は棒を持ったままプールの端から端まで移動し、子どもたちは棒につかまったまま、背泳ぎの状態でバタ足をします。

15 水中宝探し

プールの底に落ちている宝物を拾ってあそびます。

プールで水あそび

水中宝探し 1

① ゴム製のおもちゃの貝がらをたくさん用意し、保育者があらかじめプールの底に沈めておきます。

② 保育者の笛の合図で、子どもたちは一斉にプールの底にある貝がらを探して拾います。このとき、水にもぐって手で取っても、足で取ってもいいものとします。

③ 時間を決めて、再び保育者が笛を吹きます。貝がらを一番多く拾った子どもがチャンピオンです。

水中宝探し2

① 赤、青、緑色のおはじきをたくさん用意し、保育者があらかじめプールの底に沈めておきます。

② 保育者は、3色の中からおはじきの色を指定して叫び、子どもたちは一斉に指定された色のおはじきを拾います。手で取っても足で取ってもOKです。

③ 時間を決めて、保育者が笛を吹きます。おはじきを一番多く拾った子どもがチャンピオンです。

16 水中ペットボトル探し

点数のついたペットボトルを拾って競います。

プールで水あそび

① 保育者はあらかじめ、500mlのペットボトルをたくさん用意しておきます。ラベルをはがし、ペットボトルの片面に油性ペンでいろいろな絵を描き、もう片面には1～10の数字（点数）を書いておきます。

<表>

<裏>

② ①のペットボトルに水をいっぱいに入れてキャップをし、絵が描かれた面を上にして、プールの底に沈めておきます。

③ 保育者の笛の合図で子どもたちは一斉にプールにもぐり、底にあるペットボトルをひとつ拾います。

④ 拾い上げたペットボトルに書かれた点数の高い子どもの勝ちです。

アドバイス

水をいっぱいに入れたペットボトルはけっこう重く、子どもが持ち上げるときに力がいるので、保育者は、持ち上げた子どもに「すごーい、力持ち！」などと声をかけると、喜ぶでしょう。

17 プールメリーゴーランド

プールの中で輪になって手をつなぎ、メリーゴーランドのようにまわります。

① 子どもたちは偶数の人数でプールの中で手をつなぎ、輪になります。プールの中で立つ人とプールの底に座る人がひとりずつ交互になります。座る人は、足を伸ばして座ります。

② 保育者の笛の合図で、全員が手をつないだまま、立っている人が時計と反対まわりに走ります。座っている人は、水の流れに身をゆだねます。

③ 途中で、保育者の笛の合図で逆にまわります。

④ 立って走る人と座る人を交代して行います。

アドバイス

座っている子どもは、水の流れで顔が沈んだり水を飲んだりしないように、注意しましょう。

18 プールカルタとり

プールに絵札を浮かべ、みんなでカルタ取りをします。

プールで水あそび

① 保育者はあらかじめA4サイズ（21×29.7cm）のスチレンボードに50音のカルタの絵を描き、絵札をつくっておきます。また絵札に合わせて読み札を用意します。

② プールに絵札を浮かべ、子どもたちはプールの壁に背中をつけて、待ちます。

③ 保育者が読み札を読み、みんなでカルタ取りをします。

あそびの発展

いくつかのチームに分けて、チームごとに何枚カルタが取れたかを競ってもおもしろいでしょう。

19 ボールとりゲーム

いす取りゲームの要領で、ボールを取り合います。

① 子どもの数よりひとつ少ない数のビーチボールを、プールのまん中に浮かべておきます。

② 適当な歌を歌いながら、ボールのまわりを時計と反対まわりに歩きます。

③ 保育者の笛の合図でボールを取ります。ボールを取れなかった子どもはゲームから抜けます。

④ ひとつずつボールを減らしてゲームをくりかえし、最後のひとつになったボールを取れた子どもがチャンピオンです。

アドバイス

ビーチボールの替わりに、ビート板や発泡スチロールのトレイなどを使ってもいいでしょう。

20 おたまじゃくしとカエル

プールの中で、おたまじゃくしやカエルになりきってあそびます。

1. 子どもたちは、プールの中でしゃがみます。保育者は「おたまじゃくしとカエル、どっちかな…」と言った後に「おたまじゃくし」か「カエル」のどちらかを指定します。

2. 保育者が「おたまじゃくし！」と言ったら、子どもたちは両手をプールの底について両足を伸ばし、おたまじゃくしになったつもりで、足をゆらします。

❸ 保育者が「カエル！」と言ったら、子どもたちは両手をプールの底についてカエルのポーズをし、その後に、勢いよくジャンプします。

あそびの発展

「おたまじゃくし」と「カエル」の他に、「カエルのたまご！」と言ったときには、カエルのたまごになったつもりでプールの底で体をまるめる、などを加えてもいいでしょう。

21 金魚と金魚鉢

金魚チームと金魚鉢チームに分かれ、金魚鉢から金魚を逃がさないようにします。

プールで水あそび

① 子どもたちを、金魚チームと金魚鉢チームの2つに分けます。

② 金魚鉢チームは、プールの中で輪になって全員で手をつなぎ、大きな金魚鉢をつくります。

③ 金魚チームは全員輪の中に入り、金魚になったつもりで、輪の中を自由に動きまわります。

④ 保育者の笛の合図で、金魚チームは金魚鉢から外に出ようとします。金魚鉢チームは、手をつないだまま、金魚を逃がさないようにします。

⑤ 時間を決めて、保育者が再び笛を吹きます。その時点で金魚鉢に残っていた子どもの数を数えます。

⑥ 金魚チームと金魚鉢チームを入れ替えて同様に行い、金魚鉢に残っていた子どもの数が少ない方の勝ちです。

22 浮き輪おに

浮き輪につかまっている間はつかまらない、おにごっこです。

プールで水あそび

1. プールにいくつか浮き輪を浮かべておきます。

2. おにをひとり決め、おにごっこをします。逃げる人は、おにが近づいてきたら浮き輪につかまります。浮き輪につかまっている間は、おにはつかまえることができません。

③ おには、浮き輪の近くで5秒数えます。数えている間は、おにはつかまえることができません。
浮き輪につかまっている人は、おにが5秒数え終わるまでに浮き輪から離れて逃げます。

④ おにタッチされたらアウトで、おにを交代します。

あそびの発展

おににつかまったら、その人もおにになり、次々おにが増えていくというルールにしてもいいでしょう。
その場合、最後までつかまらなかった人がチャンピオンです。

23 フープくぐり

> 水面に立てたフープをジャンプしたり、沈めたフープをくぐったりします。

プールで水あそび

① 保育者は、プールの壁から近い場所で、半分くらい水に沈めてフープを持ちます。

② 子どもたちは一列になり、ひとりずつ蹴伸び（壁を両脚で蹴って、両腕を前に伸ばして前進する）でフープを通過します。

③ 次は、フープを少し高くし、子どもたちは少しジャンプをしてフープを通過します。

④ 最後は、フープを低くして、子どもたちは潜ってフープを通過します。

アドバイス

蹴伸びが難しいようでしたら、まずはフープを使う前に、蹴伸びの練習をくりかえし行いましょう。

24 ボール運びリレー

ボールを運んでリレーをします。

① 子どもたちを2チームに分けます。各チームの人数を半分に分け、プールの両サイドに向かい合うように並びます。

② 各チームとも、先頭の子どもはビーチボールを持ち、保育者の笛の合図でプールの中を走り、向こう側にいる自分のチームの次の人にボールを渡してバトンタッチします。

❸ 次の人も同様に走ってその次の人にバトンタッチし、次々にリレーをして、先に全員がボールを運んだチームの勝ちです。

アドバイス

プールの中を走るときに、足をすべらせてけがをしたり、水を飲んだりしないように注意しましょう。

25 ワニさんリレー

ふたり一組でワニになって進むリレーです。

1. 子どもたちを2チームに分けます。両チームとも、プールの端で待機します。各チームともふたり一組になり、ワニ役とワニの足を持つ人を決めます。

2. 保育者の笛の合図で、ワニ役の人はプールの底に両手をついて足をまっすぐ伸ばし、もうひとりはワニの人の足を持ち上げ、呼吸を合わせて前に進みます。

③ 向こう側のプールの壁にワニ役の人がタッチしたら、ワニ役と足を持つ人を交代して、戻ってきます。

④ 次のふたりにバトンタッチし、次々にリレーをして、先に全員がゴールしたチームの勝ちです。

26 ジャンケン列車

プールの中でジャンケンをして、列車を長くつなげていきます。

① 全員がプールの中を自由に歩きます。保育者の笛の合図でそれぞれ相手を見つけ、ふたりでジャンケンをします。

② 負けた人は、勝った人の後ろにつき、肩につかまってつながります。

③ 次の相手を見つけ、先頭の人同士でジャンケンをします。負けたグループは勝ったグループの後ろの人につながります。

④ 次々あそびをくりかえし、最後にひとつの長い列車になったら、つながったままプールの中を自由に歩きます。

27 ビート板をゲット!

プールの中でジャンケンをして、ビート板を取り合います。

プールで水あそび

① ひとり1枚ビート板を持ち、プールの中を自由に歩いたり、バタ足で移動します。

② 保育者の笛の合図でそれぞれ相手を見つけ、ふたりでジャンケンをします。
負けた人は勝った人にビート板をあげて、プールサイドで待機します。

❸ 次々ジャンケンをして、最後に全員分のビート板をもらった人がチャンピオンです。

あそびの発展

子どもを2チームに分けて、相手チームとジャンケンをして競ってもいいでしょう。その場合、帽子の色でチームを分けるといいでしょう。

28 水運びリレー

コップに入った水をこぼさないように運んで、リレーをします。

① 5〜6人で一組のチームを何チームかつくります。ひとりひとつずつプラスチックのコップを持ち、プールの端から端まで、それぞれ均等の間隔になるように立ちます。

② 最初の子どもは、コップにいっぱいになるようにプールの水を入れます。保育者の笛の合図で、コップの水をこぼさないように次の人のところまで歩いて運び、コップの水を移します。

③ 次の人も同様にその次の人のところまで歩いて運び、コップの水を移します。

④ 最後の人までリレーしてコップの水を移し、各チームの最後の人の水の量が一番多かったチームの勝ちです。

29 浮き輪リレー

浮き輪に乗った人をふたりで運んでいくリレーです。

プールで水あそび

① 6の倍数の人数で2チームつくります。各チームの人数を半分に分け、プールの両サイドに向かい合うように立ちます。チームでひとつ浮き輪を用意します。

② 各チームとも3人一組になり、3人のうちひとりが浮き輪におしりを入れて、乗ります。保育者の笛の合図で、残りのふたりが浮き輪に乗った子どもを運びます。

③ プールの向こう側にいる自分たちのチームにバトンタッチして同様にリレーをくりかえし、先にゴールしたチームの勝ちです。

アドバイス

浮き輪に乗りたがる子どもが多いときは、3人でジャンケンをして決めたり、全員が浮き輪に乗れるように、あそびをくりかえしましょう。

30 ボール送りリレー

頭の上や、またの下からボールを送るリレーです。

プールで水あそび

① 5〜6人で一組のチームを何チームかつくります。各チームとも1mくらいの間隔で一列に並び、先頭の子どもはビーチボールを持ちます。

② 保育者の笛の合図で、先頭の子どもは頭の上から後ろの人にボールを送り、次々後ろへ送っていきます。ボールを送った人は後ろを向きます。

先頭の子ども

先頭の子ども

③ 最後尾の人がボールを受け取ったら後ろを向き、今度はまたの下からボールをくぐらせて、後ろの人にボールを送っていきます。

④ 同様に次々と後ろへボールを送り、先頭だった人まで先にボールを送ったチームの勝ちです。

31 浮くか？沈むか？ゲーム

いろいろなものが水に浮くか沈むかをあてるゲームです。

① ビニールプールや水そうなどに水を入れておきます。浮くか沈むかを試すいろいろなものを用意しておきます。たとえば…。

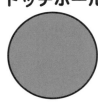

ドッヂボール　テニスボール　ピンポン玉　ビー玉

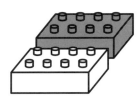

ブロック

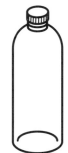

空のペットボトル

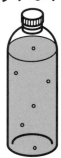

水の入ったペットボトル

にんじん、きゅうり、じゃがいも、バナナ、トマト、リンゴなど

発泡スチロールのトレイ

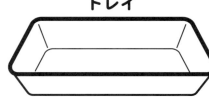

❷ 保育者は、どれかひとつ持ち、それが水に浮くか沈むかを子どもたちにたずね、子どもたちが答えた後に水に入れてみます。

32 的あて水鉄砲

的をねらって水鉄砲を撃ってあそびます。

的あて水鉄砲1

① 保育者はあらかじめ、あき缶のふたに千枚通しなどで穴をあけ、ひもを通したものをものほしざおなどにいくつかつるしておきます。

② 保育者ふたりが棒の端を持ち上げ、子どもたちは順番に決められたラインから的をねらって水鉄砲を撃ちます。

園庭で水あそび

的あて水鉄砲 2

① 子どもたちを4～5チームに分けます。60～70cmくらいの長さに切ったトイレットペーパーを、チームの数に合わせて棒にかけ、裏をセロハンテープなどでとめておきます。トイレットペーパーの下には、ガムテープなどをつけて、重しにします。

② ラインを決め、各チームとも一斉にトイレットペーパーの的をねらって水鉄砲を撃ちます。時間を決め、撃つ人を交代します。

③ 全員が撃ち終わったところで、残っているトイレットペーパーが一番短いチームの勝ちです。

33 紙箱リレー

ティッシュペーパーのあき箱に水を入れてリレーをします。

1. ティッシュペーパーのあき箱の上の部分を切り取ります。これをふたつつくります。

2. 子どもたちを2チームに分けます。スタートラインから離れたところにチーム分のミニプールまたは水そうを置いておきます。スタートラインから1mくらい先のところには、ビニールプールに水を入れたものをひとつ置いておきます。各チームの先頭の子どもは、❶のあき箱を持ちます。

3. 保育者の笛の合図でスタートし、ビニールプールの水をあき箱にくんで、ミニプールに入れて戻ります。

園庭で水あそび

④ 戻ったら次の人にバトンタッチし、次々にリレーをします。途中であき箱がやぶれてしまったら、その時点でそのチームは終了となります。

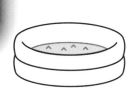

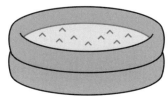

⑤ リレーが終了した時点で、ミニプールに入れた水の量がより多いチームの勝ちです。

アドバイス

★ティッシュペーパーのあき箱の替わりに、お菓子のあき箱などを使ってもいいでしょう。
★チーム数は3～4チームに増やしてもいいでしょう。

34 水でお絵かき

ポリ袋に入れた水で地面にお絵かきをします。

1. 子どもの人数分、小さめのポリ袋を用意し、水を入れて渡します。

2. 保育者がつまようじでひとつ穴をあけ、そこから流れ出る水で園庭や砂場に自由に線を引いたり、お絵かきをします。

園庭で水あそび

35 氷でお絵かき

氷で地面や壁にお絵かきをします。

1. 製氷皿でつくった氷をひとりひとつずつ渡します。
2. コンクリートの地面や壁に、氷で自由に線を引いたり、お絵かきをします。

アドバイス

氷が冷たくて持てないときは、ティッシュペーパーなどにくるんで持ちましょう。

36 色水あそび

2色の絵の具を混ぜて、色の変化を楽しみます。

① 3つのバケツに水を入れ、赤、青、黄色のアクリル絵の具をそれぞれ入れて、3色の色水をつくります。

② ひとりひとつずつ傘入れ用のビニール袋を渡し、3色のうち好きな色水をビニール袋の6〜7分目までカップなどで入れます。

③ ②の袋に、他の1色を選び、好きな分量を入れて混ぜ、口をしっかりしばります。

園庭で水あそび

④ 色の変化を見たり、袋を触ったり軽く踏んだりして、感触を楽しみます。

⑤ 赤、青、黄色の単色の色水をそれぞれビニール袋に入れ、円を想定して、均等な間隔になるように3ヶ所に置きます。

⑥ みんながつくった色水のビニールを、グラデーションの色合いになるように円形に並べ、色の違いを楽しみます。

アドバイス

★3色を混ぜると色が濁ってしまうので、避けましょう。
★最後は、ビニール袋を思い切り踏んで袋を割って、みんなで後かたづけをしてもいいでしょう。

37 フィンガーペインティング

指絵の具でテーブルの上に自由にお絵かきをします。

園庭で水あそび

① 大きめのビニール袋を、頭と両手が出るように切り、下着をつけた状態で着ます。

② 園庭に4人用（120×60cmくらいの大きさ）のテーブルを2つ並べ、テーブルの上には透明なビニールを貼っておきます。テーブルのまわりには、8～10人の子どもが立ちます。

③ 黄色や肌色など、薄い色の指絵の具を1色子どもたちの手に渡し、テーブルの上に自由に線を引いたり、お絵かきをします。

④ 違う色の指絵の具を1色ずつ次々渡し、色の変化などを楽しみます。
合計3～6色を渡すようにし、最後は赤や青などの濃い目の色にします。

⑤ 最後は、描いた絵の上に模造紙などを重ねて、うつし絵にします。

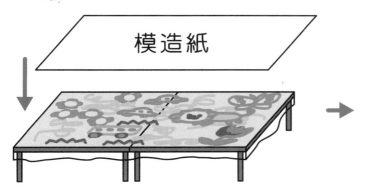 →

アドバイス

★フィンガーペインティングは、年少児・年中児向けのあそびです。
★指絵の具は、普通の絵の具とは違い、肌につけても害のない絵の具です。市販されていますが、つくる場合は以下のようにつくりましょう。
①小麦粉100グラムに対し水1リットルの比率で適量の水を鍋に入れ、小麦粉をふるいにかけながら少しずつ入れて、泡立て器でよくかき混ぜます。
②①の鍋を火にかけ、鍋の底が焦げつかないように泡立て器でかき混ぜます。少しとろみがついて透明になってきたら、食用色素を適量入れて混ぜます。
③完全に冷ましてから使います。前日につくり、ラップをかけて冷蔵庫で保管しておくといいでしょう。

38 ボディペインティング

自分の体や友だちの体に指絵の具をつけてあそびます。

園庭で水あそび

① 子どもたちには、あらかじめ汚れてもいい下着を持ってきてもらいます。
下着の状態で、プール用の帽子をかぶります。

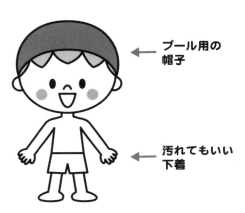

← プール用の帽子

← 汚れてもいい下着

② 園庭にブルーシートを広げ、子どもたちはその上に立ちます。

③ 黄色や肌色など、薄い色の指絵の具を1色子どもたちの手に渡し、
自分の体や友だちの体に自由につけます。

④ 違う色の指絵の具を1色ずつ次々と渡し、色の変化を楽しみます。
合計3～6色を渡すようにし、最後は赤や青などの濃い目の色にします。

「今度は青ね!」

⑤ ブルーシートのまわりに、あらかじめお湯をはったたらいをいくつか用意しておき、
あそび終わったら、たらいに入って体についた絵の具をスポンジで洗い落とします。

スポンジ

アドバイス

★絵の具は顔にはつけないように促しましょう。
★絵の具が落ちたブルーシートはすべりやすくなるので、すべってけがをしないように注意しましょう。
★ボディペイティングは、年長児向けのあそびです。

39 模様を消せ!

相手チームの体の模様を消し合ってあそびます。

1. 子どもたちは、汚れてもいい下着をつけ、プール用の帽子をかぶります。

2. 全員をA・Bチームに分け、各チームの模様を決めます。保育者が各チームの模様を子どもの胸と背中に指絵の具で描きます。

Aチーム		Bチーム	

園庭で水あそび

3. 園庭に各チームの陣地を決め、陣地に水を入れたバケツを置きます。ひとりひとつずつ空の洗剤のボトルや、ケチャップやマヨネーズの容器などを持ちます。

4. 保育者の笛の合図で、一斉にボトルや容器にバケツの水を入れ、相手チームの体をめがけて、水鉄砲のように水をかけ、模様を消します。

5. 一定時間内で、より多く模様が残っていたチームの勝ちです。

アドバイス

★顔には水をかけないように促しましょう。
★裸足であそび、あそび終わったら、水やお湯で足の汚れをきれいに洗い落としましょう。

40 どろんこあそび

砂場でいろいろなどろんこあそびをします。

型抜きあそび

① 砂場で、砂の乾き具合をみながら水を加えてしめらせ、プリンのカップやケーキ型、たらいなどを使って型抜きあそびをします。

② 型が抜けたら、ケーキに見立て、上に葉っぱや花などを乗せてデコレーションします。また、ストローをローソクに見立てて、立てます。

外あそび

おだんごあそび

1. 湿った土に砂と水を加えてどろんこにし、まるめて固めます。

2. ①に乾いた砂をたっぷりかけて、おだんごをつくります。

3. 砂場に山をつくってトンネルをつくり、②のおだんごを転がしてあそびます。

川あそび

1. 砂場に溝をつくり、そこに大きめのポリ袋を敷き、ホースで水を流して川をつくります。

2. ①に葉っぱや花、発砲スチロールのトレイなどを流してあそびます。

41 シャボン玉あそび

いろいろな大きさのシャボン玉をつくってあそびます。

シャボン玉液のつくりかた

洗濯のりと中性洗剤を2:1の割合で混ぜ合わせ、少量の水と砂糖を入れます。

リングのつくりかた1

針金を曲げて丸くし、割りばしの先につけてビニールテープでとめます。針金の部分には、布を巻きつけます。

リングのつくりかた2

針金ハンガーを丸く広げ、丸くした部分に布を巻きつけます。

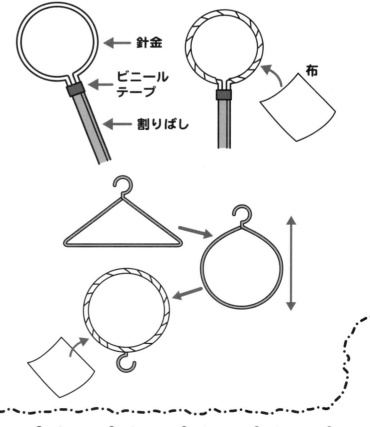

リングのつくりかた3

アルミホイルを細長く切り、ねじって細長くまとめ、リングにします。
リングをねじって輪をふたつにすると、ふたごのシャボン玉ができます。

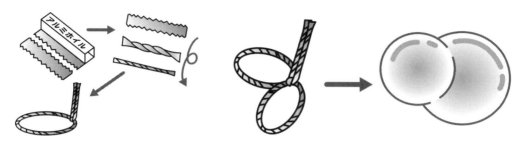

シャボン玉のつくりかた

シャボン玉液をつけて、手を大きく動かしてシャボン玉にしたり、息を吹きかけてシャボン玉をつくります。

アドバイス

★息を吹きかけてシャボン玉をつくるときは、ゆっくり吹くようにしましょう。
★シャボン玉液が口や目に入らないように、注意しましょう。

ヘビなわとび

ヘビのように動くなわを跳び越えます。

よこヘビ

保育者ふたりが長なわを持ち、ヘビのように横にゆらします。子どもたちは、ひとりずつそれを跳び越えます。

たてヘビ

長なわをたてにゆらし、子どもたちはひとりずつそれを跳び越えます。

43 ジャンケンなわとび

なわ跳びをしながら、ジャンケンをしてあそびます。

① 子どもたちをA・Bチームに分け、各チーム一列に並びます。

② 保育者が長なわを持ってまわし、まずAチームの先頭の子どもが入ります。その人が「どうぞおはいりなさい！」と言ったら、Bチームの先頭の子どもが「はあい」と言って入ります。

③ 長なわを跳びながら、ふたりで「ジャンケンポン！」と言ってジャンケンをし、負けた子どもは「さようなら」と言って出ていきます。

④ 勝った子どもは「どうぞおはいりなさい」と言い、負けた子どものチームの次の人が「はあい」と言って入り、またジャンケンをします。あそびをくりかえし、最後になわに残った人のチームの勝ちです。

44 くねくねジャンケン

くねくねの線の上を走るジャンケンゲームです。

① 1チーム5〜6人で2チームに分かれます。離れた場所にそれぞれ陣地をつくり、くねくねの線でつなぎます。

② 保育者の合図で、それぞれの陣地からひとりが相手の陣地に向かってくねくねの線の上を走っていきます。

③ 出会ったところでジャンケンをします。勝った子どもは進み、負けた子どものチームは、次の人が走っていきます。負けた子どもは、自分のチームの後ろにつきます。これをくりかえして、相手の陣地に先にひとりがたどり着いたチームの勝ちです。

外あそび

45 うずまきジャンケン

うずまきの中を走るジャンケンゲームです。

① あそびかたは、84ページの「くねくねジャンケン」と同じです。地面に大きなうずまきを描き、うずまきの入口と中心にそれぞれの陣地をつくります。

② 保育者の合図で、それぞれの陣地からひとりが相手の陣地に向かってうずまきの中を走っていき、出会ったところでジャンケンをします。それ以降のルールは「くねくねジャンケン」と同様です。

46 さわらないでいこう！

園庭に引かれた白線を進み、遊具には触れないように戻ります。

① ラインを決め、ラインから園庭にある遊具すべてを通るように白線を引き、ラインに戻ります。

② みんなで歩いて白線に沿って進み、遊具には触れないように戻ってきます。

ライン

③ 次は、3〜4人で一組のチームをいくつかつくります。チームで順番を決め、ひとりずつ走って白線に沿って進み、遊具には触れないように戻り、次の人にバトンタッチして次々リレーをします。

④ 全チームがリレーをして、一番タイムの短かったチームの勝ちです。

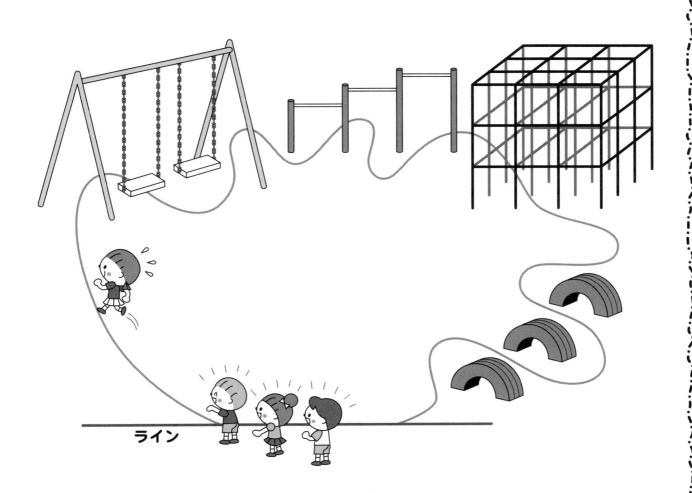

47 ワニにつかまるな！

ワニが指定する条件に合う人が、ワニにつかまらないように川を渡ります。

① ワニ役をひとり決めます。

② 7〜8メートルの間隔で地面に2本の線を引き、線と線の間を川に見立てます。線の外側は岸に見立てます。

③ ワニ役は川の中に立ち、それ以外の子どもたちは全員どちらか一方の岸に立ちます。

④ 岸にいる人はみんなで「ワニさん、川を渡ってもいいですか？」と聞きます。

⑤ ワニ役は、たとえば「ピーマンが好きな人だけいいよ」など何かひとつ条件を言います。

⑥ ワニ役が指定した条件に合う人は、ワニにつかまらないように走って川を渡り、向こう岸を目指します。ワニは走るだれかをつかまえようとします。

⑦ ワニにつかまった人が次のワニ役となり、あそびをくりかえします。。

あそびの発展

★ワニ役が指定する条件は、「ねこを飼っている人」「お兄さんがいる人」「泳ぐのが得意な人」「好きな人がいる人」など、いろいろ考えるとおもしろいでしょう。また指定する条件を2つにしてもいいでしょう。

★子どもの人数が多い場合は、ワニ役をふたりにしてもいいでしょう。また、ワニにつかまったら、ワニ役を交代せずに、つかまった人もワニになって、どんどんワニが増えていき、最後に残った人をチャンピオンとしてもいいでしょう。

48 鈴の鳴る方へ！

> 目かくしをした子どもが、鈴を鳴らしているおにを探してタッチします。

① おにをひとり決め、おには鈴を持ちます。おに以外の子どもたちはバラバラになって、全員が目かくしをします。

② おには適当な間隔で、鈴をならし、目かくしをしている子どもたちは、鈴の音をたよりに、おにがいる場所を探します。このとき、おには移動しないものとします。

3 おにに最初にタッチできた子どもが、おにを交代してあそびを続けます。

あそびの発展

おにはひとりではなく、2〜3人に増やして行ってもいいでしょう。また、鈴の替わりに、ホイッスルを間隔をあけて鳴らしてもいいでしょう。なお、目かくしをした子ども同士がぶつかったり、まわりの物にぶつかったりしないように注意しましょう。

49 暗号ジャンケン

暗号を送って、みんなでジャンケンをします。

① 6人で一組のチームを2チームつくります。各チームとも、となりの人と手をつないで、2チームで向かい合います。

② それぞれのチームの右端の人をチームリーダーとします。リーダーは、ジャンケンの何を出すかを決めて、暗号（となりの人の手を握る回数）を送ります。たとえば、1回握ると「グー」、2回握ると「チョキ」、3回握ると「パー」などとします。

③ 暗号がチームの最後の人まで伝わったら全員手を放し、一斉に暗号どおりの
ジャンケンを出します。ひとりも間違えずに勝てたチームの勝ちです。

★チームとして勝っても、ひとりでも違うものを出していたら負けです。

あそびの発展

チームが4つ以内なら、全チームで向かい合って、全チーム対抗にするのもいいでしょう。

50 ケンケン玉とり競争

紅白に分かれて、ケンケンで玉を取って陣地に入れる競争です。

① クラスの人数を半分に分け、A・Bの2チームをつくります。2チームは紅白で帽子の色を分けます。

② 4〜5メートルくらいの間隔で2本の線を引き、それぞれのチームの陣地をつくります。間に四角い囲み線を引きます。保育者はそれぞれの陣地内に相手の色の玉をバラバラに置いておきます。

③ 子どもたちは、全員自分たちの陣地に並びます。

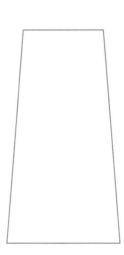
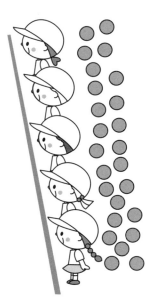

④ 保育者の笛の合図で、片足でケンケンをしながら相手の陣地にある玉をひとつ取り、ケンケンで戻って、自分の陣地に置きます。
四角い囲み線の中は休憩をできる場所として、両足をついてもOKとします。

⑤ 時間を決めて、保育者が再び笛を吹きます。その時点で取った玉の多かったチームの勝ちです。

アドバイス

★競争する時間は、30～45秒くらいがいいでしょう。
★右足でケンケンして玉を取って戻ったら、次は左足でケンケンするなどのルールを設けてもいいでしょう。

●編著者

井上 明美（いのうえ あけみ）

国立音楽大学教育音楽学科幼児教育専攻卒業。卒業後は、㈱ベネッセコーポレーション勤務。在籍中は、しまじろうのキャラクターでおなじみの『こどもちゃれんじ』の編集に創刊時より携わり、音楽コーナーを確立する。退職後は、音楽プロデューサー・編集者として、音楽ビデオ、ＣＤ、ＣＤジャケット、書籍、月刊誌、教材など、さまざまな媒体の企画制作、編集に携わる。２０００年に編集プロダクション アディインターナショナルを設立。主な業務は、教育・音楽・英語系の企画編集。同社代表取締役。http://www.ady.co.jp
同時に、アディミュージックスクールを主宰する。http://www.ady.co.jp/music-school
著書に、『みんなが知ってる！日本の名作おはなしで劇あそび』、『年間行事に合わせて使える保育のあそびネタ集』、『ヒット曲＆人気曲でかんたんリトミック』（いずれも自由現代社）、『脳と心を育む、親子のふれあい音楽あそびシリーズ』＜リズムあそび、音感あそび、声まね・音まねあそび、楽器づくり、音のゲームあそび＞（ヤマハミュージックエンタテインメント）他、多数。

●情報提供

学校法人 東京吉田学園 久留米神明幼稚園／小林由利子　齊藤和美　富澤くるみ　西川綾の　安部美紀

●編集協力

アディインターナショナル／大門久美子、新田 操

●イラスト作成

太中トシヤ

●デザイン作成

鈴木清安

使える！保育のあそびネタ集　水あそび・外あそび 50

定価（本体 1400 円＋税）

編著者	井上明美（いのうえあけみ）
表紙デザイン	オングラフィクス
発行日	2025年6月30日
編集人	真崎利夫
発行人	竹村欣治
発売元	株式会社自由現代社
	〒171-0033　東京都豊島区高田 3-10-10-5F
	TEL03-5291-6221／FAX03-5291-2886
	振替口座　00110-5-45925
ホームページ	http://www.j-gendai.co.jp

皆様へのお願い

楽譜や歌詞・音楽書などの出版物を権利者に無断で複製（コピー）することは、著作権の侵害（私的利用など特別な場合を除く）にあたり、著作権法により罰せられます。また、出版物からの不法コピーが行なわれますと、出版社は正常な出版活動が困難となり、ついには皆様方が必要とされるものも出版できなくなります。音楽出版社と日本音楽著作権協会（JASRAC）は、著作権の権利を守り、なおいっそう優れた作品の出版普及に全力をあげて努力してまいります。どうか不法コピーの防止に、皆様方のご協力をお願い申し上げます。

株式会社　自由現代社
一般社団法人　日本音楽著作権協会（JASRAC）

JASRACの承認に依り許諾証紙張付免除

JASRAC 出 2503651-501
（許諾番号の対象は、当該出版物中、当協会が許諾することのできる出版物に限られます。）

ISBN978-4-7982-2715-3

●本書で使用した楽曲は、内容・主旨に合わせたアレンジによって、原曲と異なる又は省略されている箇所がある場合がございます。予めご了承ください。
●無断転載、複製は固くお断りします。●万一、乱丁・落丁の際はお取り替え致します。